D1269535

ANIMAUX EN LAINE

Texte, créations et croquis de Geneviève Ploquin
Photos de H.P. Arnaud

FLEURUS
IDEES

Editions Fleurus, 31, rue de Fleurus, Paris 6ᵉ

FLEURUS IDEES VOUS PROPOSE

DANS LA SÉRIE 101

Des idées à prendre dans :

DANS LA MÊME SÉRIE

DANS LA SÉRIE «SAVOIR CRÉER»

Nous vous signalons également un disque spécialement réalisé par UNIDISC (31, rue de Fleurus, 75006 PARIS) **pour l'éducation physique des personnes du 3e âge :**
«Rester jeune au 3e âge» (Unidisc 30 1303).

Musique de François Rauber. Conception des exercices et réalisation du livret explicatif : Denise Coutier, Yves Camus et Ajit Sarkar, professeurs à l'E.N.S.E.P.

PRÉSENTATION

Les deux petits animaux que nous présentions dans un précédent livre sur le crochet (1), un lapin et un écureuil, ont eu beaucoup de succès auprès des lectrices de cet ouvrage, et c'est pourquoi nous venons à nouveau leur proposer tout un joyeux zoo d'animaux variés.

Ces animaux, réalisables au crochet ou aux aiguilles, par des doigts expérimentés aussi bien que par des mains débutantes, seront des jouets, des coussins, ou même de simples décorations égayant l'appartement.

Ce sont des animaux gais, ne cherchant absolument pas à copier la Nature, surtout par leurs couleurs. Ils sont calins, tout doux, avec des sourires et des yeux naïfs.

Nous avons choisi, fidèles à la ligne de conduite qui guide ces livres, des modèles simples, expliqués avec le plus de précision possible, et éclairés de nombreux croquis. Il suffit de bien s'installer, de se laisser guider, et... voilà un gros crocodile, une heureuse Dame Lapine ou un attendrissant chiot!

Il n'y a aucune difficulté, ni dans les points, ni dans le montage, et sauf les 2 plus grands ouvrages (le chat Canaillou et le crocodile Niger) les autres sont d'une exécution très rapide.

De plus, il est toujours possible d'exercer vos facultés créatrices en ne suivant pas les données à la lettre. Et c'est ainsi que vous aurez un tigre au lieu d'un chat, un teckel au lieu d'un fennec, un ourson au lieu d'un panda, etc.

A vous de jouer!

5

(1) Voir **Crochet facile,** dans la même Collection.

MISE EN ROUTE

DES LAINES

Nous avons classé les laines utilisées selon leur grosseur (les dénominations changeant selon les marques). Sur les bandes des pelotes figurent, la plupart du temps, un petit signe indiquant la grosseur d'aiguilles conseillées. Nous avons ainsi:

● La **laine moyenne,** qui demande des aiguilles n° 3. Cette laine sera employée en double avec des aiguilles n° 4 ½ ou 5, ou un crochet n° 5.

Pour employer la laine double, c'est très simple: il suffit de tirer en même temps le fil qui part du centre de la pelote et celui qui s'enroule autour: ainsi, la laine ne peut pas s'emmêler.

● La **laine «sport»,** pour aiguille n° 3 ½ ou 4, ou crochet n° 5.

● La **grosse laine «sport»,** pour aiguilles n° 4 ½ ou 5, ou crochet n° 5 ou 6.

● La **très grosse laine «sport»** et la **laine à tapis** demandent les aiguilles n° 5 ½ ou 6, ou un crochet n° 7.

Il faut cependant faire attention à la façon dont on tricote ou crochète:

certaines font un tricot ou un crochet lâche: il leur faut prendre un numéro en-dessous, ou le plus faible des numéros d'aiguilles et de crochet;

par contre d'autres tricotent ou crochètent en serrant: il faut un numéro de plus.

6

Un bon moyen consiste à savoir que pour les travaux de ce livre (des animaux à bourrer), le travail obtenu doit être ferme, assez serré pour que le bourrage ne passe pas à travers. Eviter toutefois la raideur: «ferme» suffit.

LE TRICOT AUX AIGUILLES

LE POINT DE JERSEY

C'est le seul point que nous emploierons ici.

Il est formé alternativement d'un rang à l'endroit et un rang à l'envers.

Quelques rappels

LES DIMINUTIONS

Elles se font de 2 façons:

● En cours de tricot, et s'il s'agit de diminuer une seule maille, tricoter 2 mailles à la fois (l'indication est «2 mailles ensemble»). (Croquis 1)

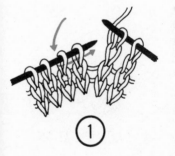

● Au bord du tricot, rabattre autant de mailles qu'il en faut comme indiqué plus haut, c'est-à-dire par 2 mailles en passant la maille de droite sur celle de gauche (2).

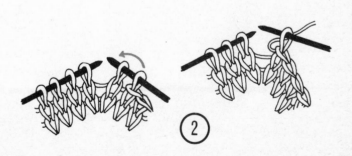

LES AUGMENTATIONS

Elle se font de plusieurs façons:

● En cours de tricot, pour augmenter une maille on peut

soit piquer l'aiguille dans le brin droit de la maille sous la première maille à tricoter (1), sortir une maille, tricoter ensuite la maille normalement (2). Cette augmentation est discrète;

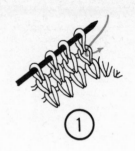

soit piquer l'aiguille dans le brin de laine qui relie 2 mailles et former une maille (3).

Cette augmentation fait un petit jour, qui peut être utilisé de manière décorative (4).

La manière d'augmenter est précisée dans les explications.

● Au bord d'un tricot, pour augmenter les mailles au début ou à la fin d'un rang: enrouler la laine simplement autour de l'aiguille, pour former une boucle (5). Les mailles ainsi augmentées se tricotent toujours au début d'un rang, et toujours à l'endroit.

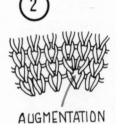

AUGMENTATION

AUGMENTATION

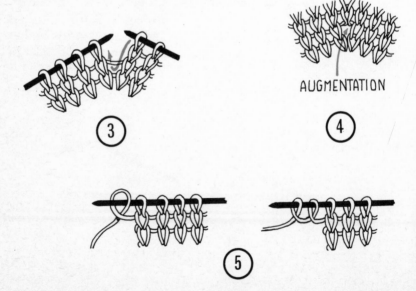

8

LE CROCHET

LES POINTS

Pour obtenir le tricot serré qui convient
au bourrage nous emploierons 3 points:
la maille coulée, la maille serrée et la
demi-bride (1).

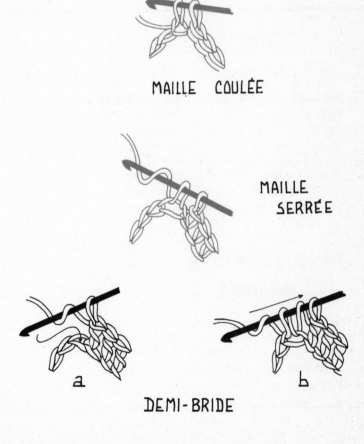

MAILLE COULÉE

MAILLE SERRÉE

a   b

DEMI-BRIDE

(1) Pour le détail de ces points voir **Crochet facile,**
même auteur, même Série.

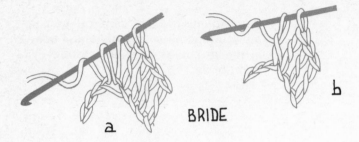

BRIDE

Le point de bride sera utilisé uniquement pour certaines finitions.

Avant de commencer tous les rangs, il est **indispensable** de faire une **maille en l'air,** c'est-à-dire une des mailles chaînette du début. Dans le cas où cette maille n'est pas à faire les explications le soulignent. Mais, sans le répéter à chaque rang, sachez qu'il ne faut pas oublier cette maille en l'air, sinon le travail se rétrécit et il faut recommencer.

Quelques rappels

LES DIMINUTIONS

● Dans le cours d'un ouvrage, pour diminuer d'une maille il suffit de sauter une maille, c'est-à-dire de piquer dans la 2ème maille après celle que l'on vient de crocheter.

● Au bout d'un rang, on laisse, sans les tricoter, une ou plusieurs mailles.

LES AUGMENTATIONS

● Dans le cours du travail, pour augmenter une maille on crochète 2 mailles dans la même maille.

● Sur les bords, il suffit de faire une ou plusieurs mailles chaînette à la fin d'un rang, et de les crocheter normalement au rang suivant (on vous indique alors «3 mailles serrées, 2 mailles en l'air», par exemple, et, au rang suivant, on a 2 mailles de plus).

Le petit signe * indique le départ d'une explication renouvelée plusieurs fois dans le rang, pour éviter des répétitions qui pourraient embrouiller. En général, il est indiqué ensuite «reprendre à * 6 fois, ou 8 fois, etc».

LES YEUX ET NEZ

En général, nous avons mis à nos animaux des **yeux** de feutrine noire et blanche, ou d'autres couleurs: cela donne plus d'expression.

Si l'animal doit devenir un jouet, nous vous conseillons de coudre ces différents éléments avec du fil ordinaire, à tout petits points de surjet bien solides. Sinon, la colle pour tissus les fixera suffisamment.

Certains boutons noirs sont aussi très amusants. Si vous avez la bonne fortune de trouver des boutons de bottine, ils seront très drôles pour un hamster, par exemple.

Il est également possible de broder les yeux en laine.

Les **nez** et les **bouches** sont brodés de quelques points, cela suffit.

L'ASSEMBLAGE

Avant de procéder à l'assemblage des différents morceaux composant l'animal rentrer les petits bouts de laine sous quelques mailles, à l'aide de l'aiguille. Puis couper à ras.

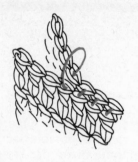

SURJET

En général, on assemble les différentes parties sur l'envers, au point de surjet fin, sans serrer. Utiliser la laine même de l'animal, et prendre les 2 brins supérieurs des mailles qui se trouvent face à face (1).

Eviter de faire de petits trous. Piquer au besoin dans la laine même.

La laine employée sera de la couleur des morceaux assemblés. Dans le cas d'un morceau clair et d'un morceau foncé, prendre la laine foncée.

Pour fermer, une fois le bourrage terminé, faire un point de surjet, le plus discret possible, sur l'endroit de l'animal.

Pour toutes ces coutures, prendre également soin de dissimuler les bouts de laine.

LE BOURRAGE

Pour bourrer les animaux, on peut employer du kapok.

Dans les exemples photographiés nous avons utilisé de la mousse plastique en général destinée à bourrer des coussins. Choisir les morceaux les plus petits possible, et surtout les plus blancs. Eliminer les petits morceaux durs. Une mousse compressée (flocons de mousse de polyester compressé) nous a donné toute satisfaction.

Le bourrage sera ferme ou souple, cela est indiqué. Ne vous tourmentez pas si le bourrage ne vous paraît pas assez régulier: il a tendance à gonfler et, après une nuit, l'animal s'arrondit et prend de jolies formes.

Pour bourrer, mettez-vous sur un ou deux journaux (ou feuilles de papier) car les petits morceaux sautent partout. Bien ouvrir l'ouverture du morceau à bourrer, et introduire la mousse par petites poignées, en insistant aux endroits indiqués. Oter les petits morceaux sur l'ouverture, fermer.

De petites parcelles ont ensuite tendance à s'accrocher aux poils de la laine: brosser doucement avec une brosse propre. Cela est, en même temps, excellent pour la laine, surtout mohair.

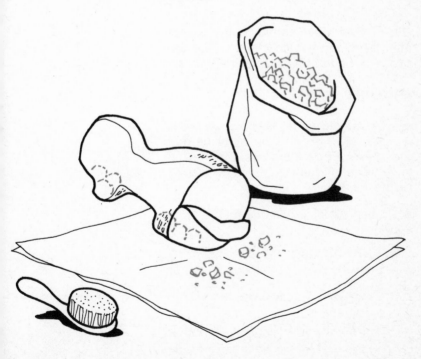

JĒROBOAM LE DAUPHIN

Quoi de plus sympathique qu'un dauphin, avec son sourire malin et ses petits yeux rieurs? Celui-ci plaira à tous...

MATÉRIEL

● Il est tricoté en laine sport, avec des aiguilles n° 4 ou 4 ½ (le tricot ne doit pas présenter de jours, mais former un vrai «tissu»). Il faut 2 pelotes de bleu, 1 pelote de blanc.

● Un peu de laine grise de même grosseur.

● Une grande aiguillée de laine noire.

● Un peu de feutrine blanche et noire.

RÉALISATION DES PIÈCES

Le point employé est le point de jersey.

Le dauphin se compose de 7 pièces: le dos en 2 parties, le ventre, la queue, la nageoire dorsale et les 2 nageoires des côtés.

LE DOS

Les 2 côtés du dos se tricotent en vis-à-vis. Voir croquis 1. Pour simplifier:

pour le premier côté du dos, après le rang de montage, on fait 1 rang à l'endroit, puis 1 rang à l'envers qui ne comptent pas: le premier rang est donc un rang endroit, et tous les rangs impairs seront à l'endroit;

au contraire, pour le second côté, on fera, après le rang de montage, un seul rang endroit qui ne compte pas: le premier rang sera donc à l'envers, et tous les rangs impairs à l'envers. De cette façon, les 2 côtés sont automatiquement en vis-à-vis et il n'y a pas moyen de se tromper.

Premier côté du dos:

● Monter 4 mailles en laine bleue.

● Faire un rang à l'endroit et un rang à l'envers qui ne comptent pas. Ensuite, à l'endroit:

● 1er rang: 2 mailles, 1 augmentation (les augmentations se font en piquant dans le fil qui relie 2 mailles), 2 mailles.

● 2ème, 3ème et 4ème rangs: 5 mailles.

● 5ème rang: 2 mailles, 1 augmentation, 3 mailles.

● 6ème, 7ème et 8ème rangs: 6 mailles.

● 9ème rang: 3 mailles, 1 augmentation, 3 mailles.

● 10ème, 11ème et 12ème rangs: 7 mailles.

● 13ème rang: 3 mailles, 1 augmentation, 4 mailles.

● 14ème, 15ème et 16ème rangs: 8 mailles.

● 17ème rang: 4 mailles, 1 augmentation, 4 mailles.

CÔTÉ DU DOS

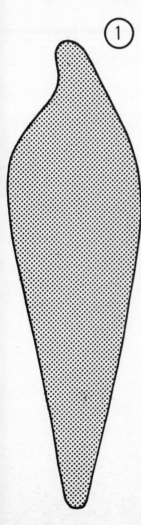

①

- 18ème, 19ème et 20ème rangs: 9 mailles.

- 21ème rang: 4 mailles, 1 augmentation, 5 mailles.

- 22ème, 23ème et 24ème rangs: 10 mailles.

- 25ème rang: 5 mailles, 1 augmentation, 5 mailles.

- 26ème, 27ème et 28ème rang: 11 mailles.

- 29ème rang: 5 mailles, 1 augmentation, 6 mailles.

- 30ème, 31ème et 32ème rangs: 12 mailles.

- 33ème rang: 6 mailles, 1 augmentation, 6 mailles.

- 34ème, 35ème et 36ème rangs: 13 mailles.

- 37ème rang: 6 mailles, 1 augmentation, 7 mailles, et 1 augmentation en fin de rang.

- 38ème, 39ème et 40ème rangs: 15 mailles.

- 41ème rang: 7 mailles, 1 augmentation, 8 mailles.

- 42ème, 43ème et 44ème rangs: 16 mailles.

- 45ème rang: 8 mailles, 1 augmentation, 8 mailles, 1 augmentation.

- 46ème, 47ème et 48ème rangs: 18 mailles.

- 49ème rang: 9 mailles, 1 augmentation, 9 mailles, 1 augmentation.

- 50ème, 51ème et 52ème rangs: 20 mailles.

- 53ème rang: 10 mailles, 1 augmentation, 10 mailles.

- 54ème, 55ème et 56ème rangs: 21 mailles.

- 57ème à 65ème rangs: sans augmentation.

- 66ème rang: 2 mailles ensemble, 19 mailles.

- 67 et 68ème rangs: 20 mailles.

- 69ème rang: 9 mailles, 2 mailles ensemble, 9 mailles.

- 70ème rang: 19 mailles.

- 71ème rang: 9 mailles, 2 mailles ensemble, 8 mailles.

- 72ème rang: 2 mailles ensemble, 16 mailles.

- 73ème rang: 2 mailles ensemble, 7 mailles, 2 mailles ensemble, 6 mailles.

- 74ème, 75ème et 76ème rangs: 15 mailles.

- 77ème rang: 2 mailles ensemble, 6 mailles, 2 mailles ensemble, 5 mailles.

- 78ème, 79ème et 80ème rangs: 13 mailles.

- 81ème rang: 6 mailles, 2 mailles ensemble, 5 mailles.

- 82ème rang: 12 mailles.

- 83ème rang: 2 mailles ensemble, 4 mailles, 2 mailles ensemble, 2 mailles, 2 mailles ensemble.

- 84ème rang: 2 mailles ensemble, 7 mailles.

- 85ème rang: 6 mailles, laisser 2 mailles sur l'aiguille de gauche et tourner.

- 86ème rang: 6 mailles.

- 87ème rang: 4 mailles, laisser les autres mailles sur l'aiguille de gauche et tourner.

- 88ème rang: 4 mailles.

- 89ème rang: 8 mailles (on prend alors toutes les mailles).

- 90ème, 91ème, 92ème et 93ème rangs: 8 mailles.

- 94ème rang: 2 mailles ensemble, 6 mailles.

- 95ème rang: 3 mailles, 2 mailles ensemble, 2 mailles.

- 96ème rang: 6 mailles.
- 97ème rang: 2 mailles, 2 mailles ensemble, 2 mailles.
- 98ème rang: 2 mailles, 2 mailles ensemble, 1 maille.
- 99ème rang: il reste 3 mailles, passer le fil de laine dedans pour arrêter.

Second côté du dos
- Monter 4 mailles en laine bleue.
- Faire un rang à l'endroit qui ne compte pas. Ensuite, à l'envers:
- 1er rang: 2 mailles, 1 augmentation, 2 mailles, etc. comme pour le premier côté.

LE VENTRE

Voir croquis 2.
- Monter 4 mailles en laine blanche.
- 1er rang: 4 mailles à l'endroit.
- 2ème rang: 4 mailles à l'envers.
- 3ème rang: augmenter 1 maille avant le début du rang et 1 maille à la fin (en faisant une boucle sur l'aiguille).
- 4ème, 5ème et 6ème rangs: 6 mailles.
- 7ème rang: 1 augmentation, 6 mailles, 1 augmentation.
- 8ème, 9ème et 10ème rangs: 8 mailles.
- 11ème rang: 1 augmentation, 8 mailles, 1 augmentation.
- 12ème, 13ème et 14ème rangs: 10 mailles.
- 15ème rang: 1 augmentation, 10 mailles, 1 augmentation.
- 16ème, 17ème et 18ème rangs: 12 mailles.
- 19ème rang: 5 mailles, 1 augmentation, 2 mailles, 1 augmentation, 5 mailles (ici les augmentations se font en piquant dans le fil entre 2 mailles).

VENTRE

2

- 20ème rang: 1 augmentation, 14 mailles, 1 augmentation.
- 21ème et 22ème rangs: 16 mailles.
- 23ème rang: 7 mailles, 1 augmentation, 2 mailles, 1 augmentation, 7 mailles.
- 24ème et 25ème rangs: 18 mailles.
- 26ème rang: 1 augmentation, 18 mailles, 1 augmentation.
- 27ème rang: 20 mailles.
- 28ème rang: 9 mailles, 1 augmentation, 2 mailles, 1 augmentation, 9 mailles.
- 29ème, 30ème et 31ème rangs: 22 mailles.
- 32ème rang: 10 mailles, 1 augmentation, 2 mailles, 1 augmentation, 10 mailles.
- 33ème rang: 1 augmentation, 24 mailles, 1 augmentation.
- 34ème, 35ème et 36ème rangs: 26 mailles.
- 37ème rang: 1 augmentation, 26 mailles, 1 augmentation.
- 38ème, 39ème et 40ème rangs: 28 mailles.
- 41ème rang: 1 augmentation, 28 mailles, 1 augmentation.
- 42ème, 43ème et 44ème rangs: 30 mailles.
- 45ème rang: 1 augmentation, 30 mailles, 1 augmentation.
- 46ème, 47ème et 48ème rangs: 32 mailles.
- 49ème rang: 1 augmentation, 32 mailles, 1 augmentation.
- 50ème, 51ème et 52ème rangs: 34 mailles.
- 53ème rang: 1 augmentation, 34 mailles, 1 augmentation.
- 54ème rang: 36 mailles.
- 55ème rang: 16 mailles, 2 mailles

ensemble, 2 mailles ensemble, 16 mailles.

● 56ème, 57ème et 58ème rangs: 34 mailles.

● 59ème rang: 15 mailles, 2 mailles ensemble, 2 mailles ensemble, 15 mailles.

● 60ème rang: 2 mailles ensemble, 28 mailles, 2 mailles ensemble.

● 61ème et 62ème rangs: 30 mailles.

● 63ème rang: 2 mailles ensemble, 11 mailles, 2 mailles ensemble, 2 mailles ensemble, 11 mailles, 2 mailles ensemble.

● 64ème rang: 26 mailles.

● 65ème rang: 2 mailles ensemble, 22 mailles, 2 mailles ensemble.

● 66ème rang: 24 mailles.

● 67ème rang: 2 mailles ensemble, 8 mailles, 2 mailles ensemble, 2 mailles ensemble, 8 mailles, 2 mailles ensemble.

● 68ème, 69ème et 70ème rangs: 20 mailles.

● 71ème rang: 8 mailles, 2 mailles ensemble, 2 mailles ensemble, 8 mailles.

● 72ème rang: 18 mailles.

● 73ème rang: 2 mailles enemble, 14 mailles, 2 mailles ensemble.

● 74ème rang: 16 mailles.

● 75ème rang: 3 mailles, 2 mailles ensemble, 6 mailles, 2 mailles ensemble, 3 mailles.

● 76ème rang: 14 mailles.

● 77ème rang: 3 mailles, 2 mailles ensemble, 4 mailles, 2 mailles ensemble, 3 mailles.

● 78ème rang: 12 mailles.

● 79ème rang: 3 mailles, 2 mailles ensemble, 2 mailles, 2 mailles ensemble, 3 mailles.

● 80ème rang: 10 mailles.

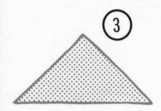

QUEUE ET NAGEOIRE

- 81ème rang: 2 mailles, 2 mailles ensemble, 2 mailles, 2 mailles ensemble, 2 mailles.
- 82ème, 83ème et 84ème rangs: 8 mailles.
- 85ème rang: 2 mailles ensemble, 4 mailles, 2 mailles ensemble.
- 86ème rang: 6 mailles.
- 87ème rang: 2 mailles ensemble 3 fois.
- 88ème rang: 3 mailles.
- 89ème: passer le fil dans les 3 mailles pour arrêter le travail.

LA QUEUE

Voir croquis 3.

- Monter 36 mailles en laine bleue.
- 1er rang: à l'endroit.
- A partir du 2ème rang, prendre ensemble les 2 premières mailles et les 2 dernières mailles de chaque rang.
- Quand il ne reste plus que 2 mailles, passer le fil dedans pour arrêter.

LA NAGEOIRE DORSALE ET LES 2 NAGEOIRES DE CÔTÉ

Se tricotent en laine grise, exactement comme la queue, mais en montant 32 mailles au départ.

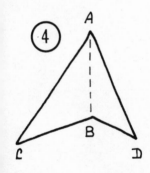

MONTAGE ET BOURRAGE

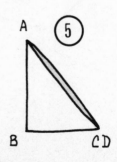

- Retourner la queue sur l'envers.

La plier en 2 selon AB: les 2 côtés se trouvent endroit contre endroit (4).

Coudre au point de surjet la partie d'en bas (B à C-D). Ne pas tirer (5). Retourner.

Coudre la partie A à C-D toujours au point de surjet, mais cette fois en resserrant le tricot pour que la queue prenne la forme donnée par le croquis

6. C'est le point B qui sera cousu au corps.

● Préparer de même la nageoire dorsale et celles des côtés.

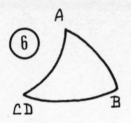

● Bâtir ensemble les 2 côtés du dos endroit contre endroit, en faisant bien coïncider les augmentations et les diminutions. Faire un point de surjet en laine bleue, sans tirer. Coudre assez serré. Faire le nez bien pointu.

● Bâtir l'un des côtés avec le ventre. Là aussi, les diminutions et augmentations doivent coïncider. Coudre au point de surjet à la laine bleue.

Coudre le 2ème côté au ventre, mais en laissant une ouverture comme le montre le croquis 7. Veiller au nez pointu. Retourner. Bien sortir le nez et l'extrémité.

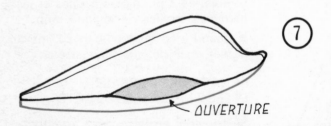

OUVERTURE

● Bourrer le corps en commençant par le nez. Bourrer sans excès, régulièrement et surtout bien symétriquement. Veiller à ce que le petit nez soit relevé.

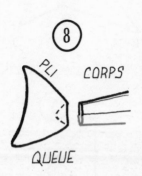

Bourrer ensuite la queue, puis le centre du corps. Fermer par un sujet discret à la laine bleue.

● Repasser à la patte-mouille les nageoires et la queue en respectant bien leur forme.

● Poser la queue à l'extrémité du corps, le pli étant vers le haut. Rentrer légèrement l'angle formé en B, et coudre à cheval sur la couture des 2 côtés (8).

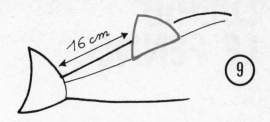

(9)

● Coudre la nageoire dorsale sur le dos, sur la couture même, en faisant un surjet des 2 côtés avec la laine bleue (9).

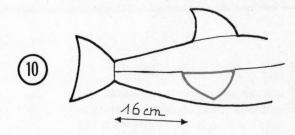

(10)

16 cm

(12)

ŒIL

● Coudre les nageoires des 2 côtés, bien en face l'une de l'autre. Utiliser de la laine bleue dessus et de la laine blanche dessous, puisqu'elles sont à cheval sur la couture (10).

● Broder la bouche avec la laine noire, en ajoutant quelques points aux 2 extrémités pour donner le sourire (11).

Utiliser le point de tige et suivre la couture entre le dos et le ventre.

● Découper les yeux dans la feutrine (12). Coudre ou coller.

(11)

DJĒRIB LE FENNEC

C'est un charmant petit animal, dit aussi «renard des sables» reconnaissable à sa belle queue touffue et à ses grandes oreilles promptes à saisir les moindres bruits du désert.

MATÉRIEL

● Il est réalisé en laine moyenne employée en double. Les indications sont données pour un travail avec un crochet 6 ou 7. Prévoir 2 pelotes orange et 1 pelote jaune.

● Une bande de carton de 3 cm x 15 cm.

● Une grosse aiguille.

● Un peu de feutrine blanche et noire.

● Une aiguillée de laine noire moyenne.

RÉALISATION DES PIÈCES

Notre fennec se compose de 9 pièces: le dos, le ventre, la tête en 2 parties, le nez, les 2 oreilles double face (ce qui fait 4 morceaux).

Il se tricote en demi-brides et en mailles serrées.

24

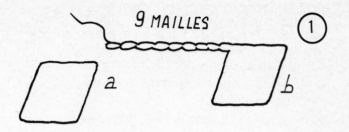

9 MAILLES

a

b

1

LE DOS

Regardez bien le croquis 1: il faut commencer par le crochetage d'**une patte** (a).

- Monter 5 mailles chaînette en laine orange.

- 1er rang: 5 demi-brides.

- 2ème rang: 1 maille en l'air, ne pas crocheter la première maille, 2 demi-brides, dans la dernière maille faire 2 demi-brides, arrêter.

Le **dos proprement dit** se commence maintenant par la patte b: monter 5 mailles en laine orange.

- 1er et 2ème rangs: 5 demi-brides.

- 3ème rang: 1 maille en l'air, ne pas crocheter la première maille, 2 demi-brides, 2 demi-brides dans la dernière maille. Continuer par 9 mailles en l'air, puis reprendre la patte tricotée tout à

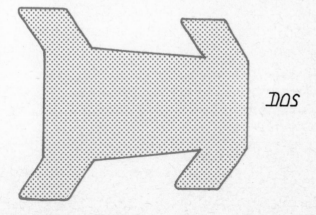

DOS

l'heure (attention, bien poser les pattes dans le même sens!). Faire 5 demi-brides sur les mailles de cette patte: on a maintenant un rang de 19 mailles.

● Du 4ème au 6ème rang, faire 19 demi-brides par rang.

● 7ème rang: 11 demi-brides, 8 mailles serrées.

● 8ème rang: 5 mailles serrées, 14 demi-brides.

● Du 9ème au 12ème rang: 19 demi--brides par rang.

● 13ème rang: 14 demi-brides, 5 mailles serrées.

● 14ème rang: 8 mailles serrées, 11 demi-brides.

● Du 15ème au 17ème rang: 19 demi-brides par rang.

● 18ème rang: après la maille en l'air habituelle, 2 demi-brides dans la première maille, 3 demi-brides.

● 19ème rang: 5 demi-brides.

● 20ème rang: 5 demi-brides, arrêter.

● Attacher maintenant le fil 5 mailles avant la fin du rang (2). Passer le fil à travers cette maille pour former une maille en l'air, 2 demi-brides dans la première maille, 3 demi-brides. Faire 5 demi-brides les 2 rangs suivants puis arrêter.

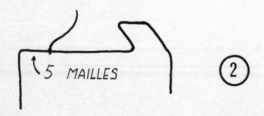

5 MAILLES   (2)

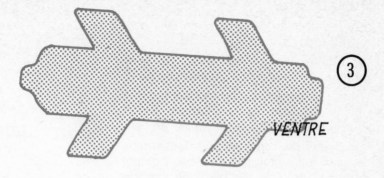

VENTRE

LE VENTRE

Voir croquis 3.

Prendre la laine jaune.

● Comme pour le dos: faire une première patte puis une seconde patte.

● 3ème rang: 5 demi-brides (sur la seconde patte), 9 mailles en l'air, 5 demi-brides (sur la première patte), puis 4 mailles en l'air d'augmentation.

● 4ème rang: 23 demi-brides, 4 mailles en l'air.

● 5ème rang: 27 demi-brides, 1 maille en l'air.

● 6ème rang: 28 demi-brides, 2 mailles en l'air.

● 7ème rang: 29 demi-brides, laisser 1 maille.

● 8ème rang: 27 demi-brides, laisser 2 mailles.

● 9ème rang: 25 demi-brides, laisser 4 mailles.

● 10ème rang: 5 demi-brides.

● 11ème rang: 2 demi-brides dans la première maille, 3 demi-brides, laisser une maille.

● 12ème rang: 5 demi-brides, arrêter.

● Attacher le fil 8 mailles avant l'extrémité du rang et faire 3 demi-brides puis 2 demi-brides dans la même maille.

● Faire 5 demi-brides les 2 rangs suivants et arrêter.

LA TÊTE

Elle est formée de 2 demi-cercles concaves (voir croquis 4).

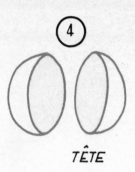

TÊTE

● Monter 4 mailles avec la laine orange. Fermer par 1 maille coulée.

Tous les rangs se commencent par 1 maille en l'air, et se ferment par 1 maille coulée dans cette maille en l'air.

Le début du rang se voit facilement, mais si vous craignez de vous tromper attachez un brin de laine de couleur dans cette première maille en l'air.

● 1er rang: 2 mailles serrées dans chaque maille.

● 2ème rang: 2 demi-brides dans chaque maille.

● 3ème rang: * 2 demi-brides, 2 demi-brides dans la maille suivante, reprendre à *.

● 4ème rang: * 3 demi-brides, 2 demi-brides dans la maille suivante, reprendre à *.

● 5ème, 6ème et 7ème rangs: augmenter de 1 maille à chaque tour avant l'augmentation de 2 mailles dans 1. On a ainsi: 6 demi-brides, 2 mailles dans la maille suivante. La forme doit être nettement concave. Arrêter.

Faire un deuxième côté exactement semblable.

LES OREILLES

Il faut 4 oreilles semblables: 2 en laine orange et 2 en laine jaune.

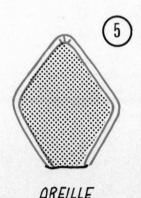

OREILLE

● Monter 6 mailles en orange, par exemple.

● 1er rang: 6 demi-brides, 1 maille en l'air.

● 2ème rang: 7 demi-brides, 1 maille en l'air.

● 3ème rang: 8 demi-brides, 1 maille en l'air.

● 4ème rang: 9 demi-brides.

● 5ème rang: 8 demi-brides, laisser 1 maille.

● 6ème rang: 7 demi-brides, laisser 1 maille.

● 7ème rang: 6 demi-brides.

● 8ème rang: 5 demi-brides.

● 9ème rang: ne pas faire de maille en l'air pour commencer, sauter 1 maille, 3 demi-brides. Arrêter.

Poser une oreille de chaque couleur l'une sur l'autre. Border par un rang de mailles serrées en jaune, en faisant 3 mailles dans la même maille tout en haut de l'oreille pour la rendre pointue (5).

Faire l'autre oreille en vis-à-vis.

LE NEZ

● Monter 10 mailles en laine orange.

● 1er rang: 10 demi-brides.

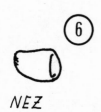

NEZ

● 2ème rang: 1 maille en l'air, sauter 1 maille, 3 demi-brides, sauter 1 maille, 4 demi-brides, laisser 1 maille.

● 3ème rang: 1 maille en l'air, sauter 1 maille, 2 demi-brides, sauter 1 maille, 2 demi-brides, arrêter.

Fermer à points de surjet en fronçant bien l'extrémité pour avoir un petit nez pointu (6).

LA QUEUE

● Monter une chaînette de 29 mailles en laine orange.

● Faire 1 rang de mailles coulées en passant à chaque maille la laine autour de la bande de carton (7 page 30). Arrêter.

● Faire ainsi 4 rangs en arrêtant à chaque rang afin que les boucles soient toutes du même côté.

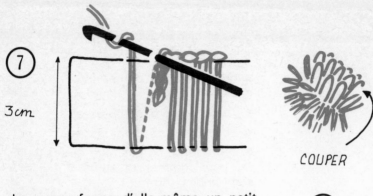

COUPER

La queue forme d'elle-même un petit tube que l'on ferme avec un point de surjet. Couper ensuite les boucles par leur milieu (8).

MONTAGE ET BOURRAGE

● Poser le dos sur le ventre comme le montre le croquis 9. Au besoin fixer par quelques épingles.

Coudre la partie pattes et ventre en laissant l'avant et l'arrière ouverts.

● Bourrer fermement les 4 pattes. Fermer l'extrémité arrière (10). Bourrer cette extrémité à fond.

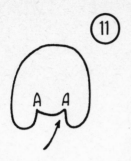

Pour bien donner la forme des pattes, placer la main autour du dos, mettre le pouce dans l'aisselle (A) en resserrant légèrement: la patte se redresse seule (11).

● Terminer le bourrage du corps bien arrondi. Fermer (12).

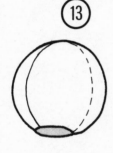

● Coudre la tête en laissant une dizaine de centimètres d'ouverture (13). Bourrer la tête pour qu'elle soit bien ronde, la fermer sur 5 cm environ.

● Poser la partie ouverte de la tête contre le cou devant, et coudre la moitié du devant (14). Redresser la tête en position normale et coudre au dos par le bord du derrière de la tête: la tête se trouve ainsi en place (15).

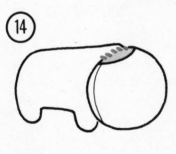

ŒIL ET PUPILLE

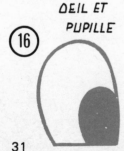

● Bourrer un peu le nez. Le coudre.

● Poser les oreilles. Les coudre par un surjet orange devant, jaune derrière.

● Coudre la queue en place.

● Découper, coller ou coudre les yeux (16).

● Couper quelques brins de laine de 12 cm de long, les plier en 2 et les coudre entre les oreilles (17).

● Avec la laine noire, broder l'extrémité du nez.

● Passer un fil de laine à travers le museau et couper: cela forme moustache. En mettre une autre, symétrique (18).

MOUSTACHES

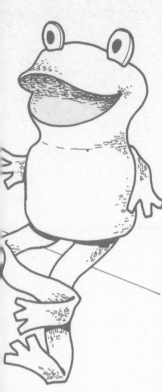

PICKY LA GRENOUILLE

Cette amusante grenouille présente une particularité: nous avons voulu vous donner un modèle qui vous laisse toute liberté. Vous ne trouverez ici que des mesures en centimètres, c'est-à-dire que vous pourrez employer la laine et le crochet qui vous plaisent, en respectant les dimensions du modèle. Seules les pattes sont expliquées plus précisément.

Choisissez de préférence des laines verte et jaune de même grosseur. Cependant, si vous utilisez une laine sport pour le vert avec un crochet n° 5, vous pourrez employer une laine jaune fine en double, pourvu que vous gardiez le même crochet (ou vice-versa, 2 brins pour le vert, 1 pour le jaune!). De même pour la laine rouge.

Nous avons utilisé un crochet n° 5.

MATÉRIEL

● 1 pelote de laine jaune pâle, 1 pelote de laine vert vif, 1 pelote de laine sport vert foncé, un peu de laine rouge.

● Un peu de feutrine jaune clair, verte et noire.

● Une aiguillée de coton à broder vert et une de fil vert.

RÉALISATION DES PIÈCES

La grenouille se compose de 8 parties: la base et le devant, le dos, le dessus

33

de la tête, la bouche, les 2 pattes avant, les 2 pattes arrière.

La grenouille est crochetée entièrement en mailles serrées.

LA BASE ET LE DEVANT

Commencer par crocheter le **cercle de base** en laine jaune (1).

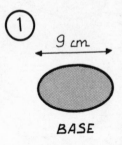

BASE

● Pour faire un cercle au crochet monter 6 mailles et fermer.

● 1er rang: 2 mailles dans chaque maille.

● 2ème rang: * 1 maille, 2 mailles dans la même maille, reprendre à * 6 fois.

● 3ème rang: * 2 mailles, 2 mailles dans la même maille, reprendre à * 6 fois.

● Continuer ainsi, en séparant les * 2 mailles dans une même maille * par 4, 5, puis 6 mailles, etc.

Mais le cercle risque de ne pas être plat: il peut être creux ou gondolé.

S'il est creux, c'est qu'il n'y a pas assez de mailles. Défaire 1 rang au moins, puis diminuer le nombre de mailles entre les augmentations. Par exemple, si vous en étiez à «7 mailles, 2 mailles dans la même», faire «4 mailles, 2 mailles dans la même maille» et continuer: 5 mailles, 2 dans la même, 6 mailles, etc.

Si le cercle paraît gondolé, c'est le contraire: vous avez trop de mailles. Défaire un rang et faire un rang entier sans augmentations; recommencer les augmentations quand le besoin s'en fait sentir.

Pour commencer et finir les rangs, passer simplement un fil de couleur dans la première maille de chaque rang.

Une fois les 9 cm de diamètre atteint,

34

crocheter le **devant** c'est-à-dire continuer tout droit, sur la moitié du cercle de base pendant 12 cm. Arrêter.

LE DOS

Sur l'autre moitié du cercle de base, monter le dos en vert vif tout droit, pendant 15 cm (2).

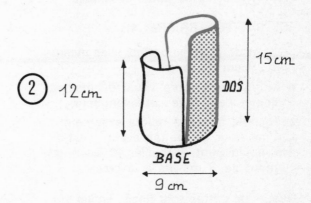

LE DESSUS DE LA TÊTE

Faire un cercle, en vert vif, de 11 cm de diamètre.

LA BOUCHE

Faire un cercle en rouge, de 9 cm de diamètre.

LES PATTES AVANT

● Monter 8 mailles avec la laine vert foncé.

● 1er rang: 8 mailles serrées, 1 maille en l'air.

● 2ème rang: 6 mailles serrées, laisser 3 mailles, 3 mailles en l'air (cela forme les doigts).

● 3ème rang: 9 mailles serrées.

● 4ème rang: 6 mailles serrées, laisser 3 mailles, 3 mailles en l'air.

● 5ème rang: 8 mailles serrées, arrêter.

PATTE ④ ARRIÈRE

<-------------------- 29 cm -------------------->

Reprendre un brin de laine semblable et faire le tour du haut de la patte en mailles serrées, pour bien l'arrondir (3).

Faire une seconde patte semblable.

LES PATTES ARRIÈRE (4)

Ce sont de grandes pattes: elles mesurent 29 cm de long!

● Monter le nombre voulu de mailles chaînette pour faire cette longueur.

● Ensuite, faire les doigts exactement comme pour les pattes avant, c'est-à-dire en laissant 3 mailles et en augmentant de 3 mailles à la place.

Quand les pattes sont finies, enfiler sur une grande aiguille une bonne longueur de laine et la passer à points devant à travers les mailles du premier et du dernier rang, tout le tour: cela donne plus de fermeté au travail.

Passer ainsi un fil autour des 4 pattes.

Reprendre les pattes arrière. Aux distances données par le croquis 5 faire un rang de mailles serrées en travers

PATTE AVANT

③

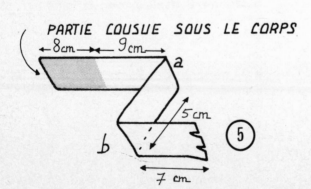

PARTIE COUSUE SOUS LE CORPS

⑤

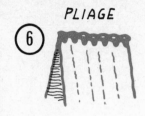

PLIAGE

6

des pattes, dessus (a) puis dessous (b):
cela donne le pliage 6.

Les pattes doivent garder une grande
mollesse pour pendre, être croisées,
etc.

MONTAGE ET BOURRAGE

Le montage est un peu délicat, regardez bien les croquis.

● Coudre au point de surjet les 2 côtés, dos sur ventre (7).

● Le dos dépasse de 3 cm. Froncer cette partie (c), qui fera la joue de la grenouille (7).

● Plier le rond de la bouche en 2. Bâtir la moitié du rond sur le ventre. Accrocher la laine verte et faire un rang de mailles serrées en prenant à la fois 1 maille jaune et 1 maille rouge (8). Ne pas arrêter.

● Poser le rond du dessus de la tête sur la moitié de la bouche (9), bâtir et continuer les mailles serrées, en prenant, cette fois, 1 maille verte et 1 maille rouge. Arrêter.

● Coudre le rond vert du dessus de la tête sur les joues, et prolonger la couture de 2 à 3 cm sur la partie dos (10). Cela laisse une ouverture sur le derrière de la tête.

● Bourrer le corps bien fermement.

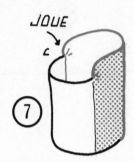

JOUE

c

7

MAILLES
SERRÉES

8

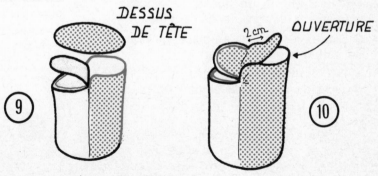

DESSUS
DE TÊTE

2 cm OUVERTURE

9

10

Mettre peu de bourrage dans la lèvre supérieure. Par contre, bien gonfler les joues en les élargissant. Achever le bourrage et fermer au point de surjet.

● A 8,5 cm de hauteur, passer un fil jaune à travers les mailles d'un rang de mailles serrées jaunes, et serrer pour marquer le cou (11).

● De l'autre côté, dans le dos, passer un fil vert dans le même rang. Serrer.

Coudre les pattes avant sur les côtés.

● Coudre les pattes arrière sous le corps, comme le montre le croquis 12, en mettant bien la pliure du «genou» dessus.

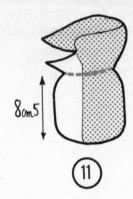

DESSOUS

● Découper les yeux selon le patron (13): 2 fois en feutrine jaune, 2 fois en feutrine verte. Poser l'une sur l'autre une forme verte et une forme jaune. Les maintenir sur la partie arrondie par de longs points devant en coton à broder vert. Mettre un flocon de mousse entre les 2 épaisseurs de feutrine.

● Coudre les oreilles en place, au point de surjet, avec du fil vert.

● Découper la pupille dans la feutrine noire. La coller ou la coudre en place (14).

La grenouille est très comique lorsque, assise sur le coin d'un meuble, elle se croise les pattes ou en laisse pendre une négligemment.

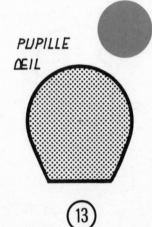

PUPILLE
ŒIL

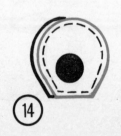

PELUCHE LA LAPINE ET SES ENFANTS

Une bonne grosse lapine, promenant sa progéniture... aussi nombreuse que vous le voudrez! Vous vous amuserez bien à faire ces minuscules lapins.

L'idée de base (une forme de chaussette) peut d'ailleurs, donner libre cours à votre imagination: en modifiant les oreilles et la queue, vous aurez des chatons, des souris, des chiots, etc.

MATÉRIEL

● La laine est une laine sport (il est possible, rappelons-le, d'employer une laine fine en double, pourvu que les aiguilles employées soient 4 ou 4 ½): 2 pelotes de laine rose et 2 pelotes de laine blanche.

● Un peu de laine noire.

● Un peu de feutrine noire.

● Un morceau de carton, une grosse aiguille.

● 50 cm de ruban rose.

MAMAN LAPINE

RÉALISATION DES PIÈCES

La lapine se compose de 8 parties: les 2 côtés, la bande, les 2 oreilles en 2 parties chacune, la queue (qui est un pompon).

Le point employé est le point de jersey.

LES CÔTÉS

Voir croquis 1.

● Monter 17 mailles en laine rose.

● 1er rang, **à l'endroit:** 17 mailles, 3 augmentations.

● 2ème rang: 20 mailles, 2 augmentations.

● 3ème rang: 22 mailles, 2 augmentations.

● 4ème rang: 24 mailles, 1 augmentation.

● 5ème rang: 25 mailles, 1 augmentation.

● 6ème rang: 26 mailles, 1 augmentation.

● Du 7ème au 13ème rangs: 27 mailles.

● 14ème rang: 2 mailles ensemble, 25 mailles.

● 15ème rang: 26 mailles.

● 16ème rang: diminuer 2 mailles, 24 mailles.

● 17ème rang: 2 mailles ensemble, 22 mailles.

● 18ème rang: 2 mailles ensemble, 21 mailles.

● 19ème rang: diminuer 2 mailles, 20 mailles.

● 20ème rang: 20 mailles.

● 21ème rang: diminuer 9 mailles, 11 mailles, 5 augmentations.

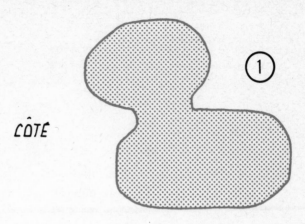

CÔTÉ ①

● 22ème rang: 16 mailles.

● 23ème rang: 16 mailles, 2 augmentations.

● 24ème rang: 18 mailles.

● 25ème rang: 18 mailles, 1 augmentation.

● 26ème et 27ème rangs: 19 mailles.

● 28ème rang: 19 mailles, 1 augmentation.

● 29ème et 30ème rangs: 20 mailles.

● 31ème rang: 18 mailles, 2 mailles ensemble.

● 32ème rang: 19 mailles.

● 33ème rang: 17 mailles, 2 mailles ensemble.

● 34ème rang: 18 mailles.

● 35ème rang: 16 mailles, 2 mailles ensemble.

● 36ème rang: 17 mailles.

● 37ème rang: 15 mailles, 2 mailles ensemble.

● 38ème rang: 14 mailles, 2 mailles ensemble.

● 39ème rang: 15 mailles.

● 40ème rang: diminuer 3 mailles, finir le rang par 2 mailles ensemble.

● 41ème rang: rabattre toutes les mailles.

Faire l'autre côté semblable, mais commencer par un premier rang **à l'envers:** les 2 côtés se trouveront en vis-à-vis.

LA BANDE

Voir croquis 2.

● Monter 14 mailles en laine blanche.
● Travailler tout droit, toujours au point de jersey, pendant 20 cm. Mesurer le tricot bien à plat, sans tirer ni élargir.

Au bout de 20 cm, faire les diminutions du museau soit:

1er rang: 2 mailles ensemble, 10 mailles, 2 mailles ensemble.

2ème rang: 12 mailles.

3ème rang: 2 mailles ensemble, 8 mailles, 2 mailles ensemble.

4ème rang: 10 mailles.

5ème rang: 2 mailles ensemble, 6 mailles, 2 mailles ensemble.

6ème rang: 8 mailles.

7ème rang: 2 mailles ensemble, 4 mailles, 2 mailles ensemble.

● Faire 4 rangs de 6 mailles.

● Commencer ensuite à augmenter, en prenant 1 maille dans la 2ème et dans la dernière maille (en piquant l'aiguille dans le brin de droite de la maille, voir page 8). Faire cela tous les 2 rangs, soit:

1er rang: 1 maille, 1 augmentation, 4 mailles, 1 augmentation, 1 maille tricotée normalement.

2ème rang: 8 mailles.

3ème rang: 1 maille, 1 augmentation, 6 mailles, 1 augmentation, 1 maille.

4ème rang: 10 mailles... et ainsi de suite jusqu'à avoir 14 mailles comme au début.

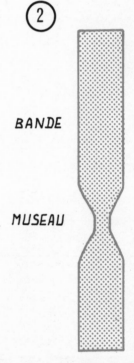

② BANDE

MUSEAU

● Continuer la bande pendant 41 cm (la bande doit mesurer en tout 69 cm à 69,5 cm).

LES OREILLES

Voir croquis 3.

Rappelons que chaque oreille comprend une forme rose et une forme blanche.

OREILLE

● Monter 7 mailles en laine rose, par exemple.

● Faire 4 rangs de 7 mailles.

● 5ème rang: 7 mailles, 1 augmentation.

● 6ème rang: 8 mailles, 1 augmentation.

● 7ème et 8ème rangs: 9 mailles.

● 9ème rang: 9 mailles, 1 augmentation.

● 10ème rang: 10 mailles, 1 augmentation.

● Du 11ème au 16ème rangs: 11 mailles.

● 17ème rang: 2 mailles ensemble, 9 mailles.

● 18ème rang: 2 mailles ensemble, 8 mailles.

● Du 19ème au 22ème rangs: 9 mailles.

● 23ème rang: 2 mailles ensemble, 6 mailles.

● A partir de ce rang, commencer chaque rang par 2 mailles ensemble, jusqu'à avoir 2 mailles, que l'on prend ensemble, et le fil passe dans la dernière maille.

Faire une deuxième oreille rose, et 2 oreilles blanches.

LA QUEUE

Elle est formée par un gros pompon en laine rose.

● Couper dans le carton 2 rondelles de 7 cm de diamètre (tracer ce contour avec un verre retourné).

● Fendre chaque rondelle jusqu'au centre, et faire un évidement de 1 cm environ (4).

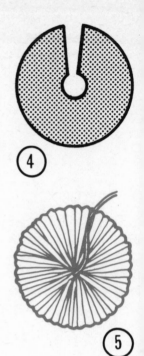

● Poser les 2 rondelles l'une sur l'autre, en prenant soin de ne pas superposer les fentes.

● Prendre une longue aiguillée de laine rose (2 mètres environ) et enrouler la laine sur le carton, en passant par le centre, et en répartissant bien l'épaisseur (5). Quand l'aiguillée est finie, prendre une autre longueur de laine et continuer. Lorsqu'on ne peut plus passer par le centre, arrêter.

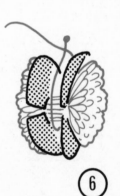

● Enfiler l'aiguille avec une aiguillée de laine rose de longueur normale. Faire un petit noeud.

● Couper la laine autour des rondelles, en passant les ciseaux entre les 2 épaisseurs de carton (6).

● Passer l'aiguillée de laine entre les 2 cartons, piquer dans la laine sous le noeud et serrer. Faire quelques points pour tenir la laine, puis ôter la rondelle de carton.

● Ebouriffer le pompon et l'égaliser. Laisser dépasser la laine qui a servi à coudre (7).

MONTAGE ET BOURRAGE

● Bâtir la bande sur un côté en se repérant sur le museau: les 4 rangs droits de la bande correspondent aux 4 rangs droits du côté de la tête (8). Coudre ce côté en entier.

● Fermer la bande par un surjet blanc sur l'envers: les 2 bouts de la bande doivent arriver juste l'un à côté de l'autre. Si ce n'est pas le cas, au lieu d'un surjet faire une petite couture qui gagnera quelques millimètres (9).

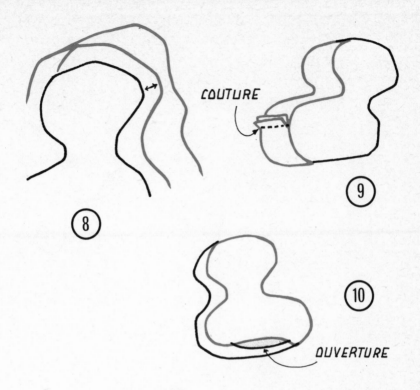

COUTURE

(8)

(9)

(10)

OUVERTURE

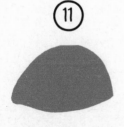

(11)

ŒIL

● Coudre de même le second côté, mais en laissant en bas une ouverture de 10 à 12 cm (10). Retourner.

● Bourrer fermement en commençant par la tête: elle doit être bien ronde et bien symétrique.

● Une fois le bourrage terminé, fermer par un surjet à la laine rose.

● Prendre une aiguillée de laine rose et enserrer 2 fois le cou pour le resserrer.

● Broder le nez, qui est une simple croix de laine noire.

● Découper les yeux dans la feutrine. Les coudre ou les coller (11).

● Prendre 1 oreille rose et 1 oreille blanche. Les poser endroit contre endroit, et les coudre sur leur partie arrondie avec un point de surjet en se repérant sur les augmentations et les diminutions qui doivent coïncider. Retourner, sortir les coutures.

45

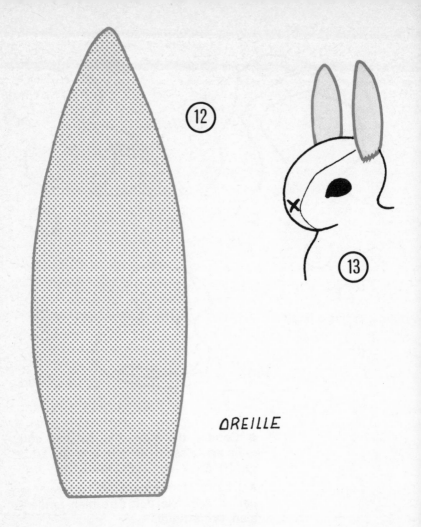

⑫

 OREILLE

Découper les oreilles dans du bristol (ou un carton très mince), selon le patron 12. Les introduire à l'intérieur.

Coudre les oreilles en place, comme le montre le croquis 13, par un surjet blanc côté blanc et rose de l'autre côté.

● Coudre la queue en place.

LES ENFANTS LAPINS

Le **corps** (1) a la forme d'une petite chaussette de 19 cm de long montée sur 22 mailles. Le talon comporte 5 diminutions.

46

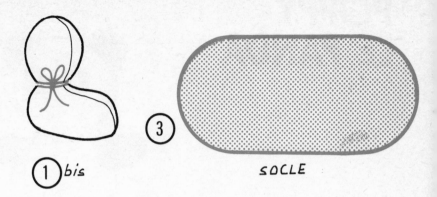

① bis

③ SOCLE

②

OREILLE

Elle est resserrée aux 2 extrémités.

Marquer le cou par un fil de laine bien serré (1 bis).

Faire 2 petites **oreilles** en triangle (2) et poser un petit pompon en guise de queue.

Pour que le petit lapin soit plus stable, mettre contre le ventre et avant le bourrage, un petit socle de carton (3).

POPPY LE PANDA

Ce sera le jouet chéri d'un tout-petit, car il est pataud et câlin à souhait.

Ajoutons en confidence qu'il peut très bien se transformer en simple nou-nours, si l'on remplace la laine noire par une laine de couleur vive.

MATÉRIEL

● 2 pelotes de grosse laine sport blanche avec un crochet n° 6 ½ ou 7, 1 pelote de même laine noire.

● Une grosse aiguille.

● Un peu de feutrine blanche et brune.

● Pour mettre autour du cou, une chaî-nette et un gros bouton doré en guise de médaille.

RÉALISATION DES PIÈCES

Poppy se composé de 13 morceaux: un corps en 2 morceaux, 2 oreilles, 2 yeux, 1 nez, 2 pattes avant, 2 pattes arrière et 2 dessous de pattes arrière.

Il est crocheté en demi-brides.

LE CORPS

Voir croquis 1.

①

UN CÔTÉ
DU CORPS

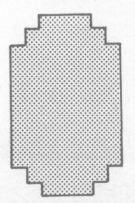

- Pour le premier côté: monter 8 mailles en laine blanche.

- 1er rang: 8 demi-brides.

- 2ème rang: 8 demi-brides, 2 mailles en l'air.

- 3ème rang: 10 demi-brides, 2 mailles en l'air.

- 4ème rang: 12 demi-brides, 1 maille en l'air.

- 5ème rang: 13 demi-brides, 1 maille en l'air.

- Du 6ème au 15ème rangs: 14 demi--brides.

- 16ème rang: 13 demi-brides, laisser une maille.

- 17ème rang: 12 demi-brides, laisser une maille.

- 18ème rang: 10 demi-brides, laisser les 2 dernières mailles.

- 19ème rang: 8 demi-brides, laisser les 2 dernières mailles. Arrêter.

Faire l'autre côté semblable, également en laine blanche.

LES PATTES AVANT

- Monter 10 mailles en laine noire.
- Faire 4 rangs de demi-brides, tout droit.
- A la fin du dernier rang, laisser environ 15 cm de laine.

Enfiler ce morceau de laine sur la grosse aiguille et le passer à travers les mailles de la chaînette du dernier rang. Tirer: cela fronce l'extrémité de la patte (2).

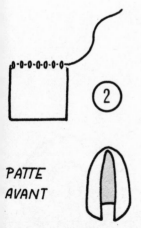

PATTE AVANT

Faire une autre patte avant, semblable.

LES PATTES ARRIÈRE

- Monter 14 mailles en laine noire.
- Faire 2 rangs de demi-brides.

● 3ème rang: 2 mailles coulées, 1 maille en l'air, 10 demi-brides, laisser les 2 dernières mailles.

● Faire ensuite 3 rangs de 10 demi-brides et arrêter.

Faire une autre patte arrière semblable (3).

PATTE ARRIÈRE

LE DESSOUS DES PATTES ARRIÈRE

C'est une petite semelle en laine blanche (4):

● Monter 4 mailles.

● Faire 2 rangs de demi-brides, arrêter.

Recommencer pour la 2ème patte.

DESSOUS DE PATTE

LE NEZ

Voir croquis n° 5.

● Monter 6 mailles en laine blanche.

● 1er rang: 6 mailles serrées.

● 2ème rang: ne pas faire de maille en l'air pour commencer et sauter la première maille, 1 maille coulée, 2 mailles serrées, 1 maille coulée, laisser 1 maille.

● 3ème rang: pas de maille en l'air, 2 mailles serrées, arrêter.

NEZ

LES YEUX

Voir croquis n° 6.

Les yeux se composent de 2 ronds noirs crochetés, sur lesquels on colle (ou coud) la feutrine (6).

● Pour chaque oeil monter 4 mailles en laine noire. Fermer ce rond par 1 maille coulée dans la dernière maille de la chaînette.

● Faire 2 mailles en l'air pour remplacer la première demi-bride puis, en piquant dans le trou central, faire 11 à 12 demi-brides pour que le rond soit parfait.

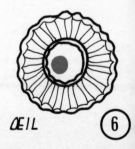

ŒIL

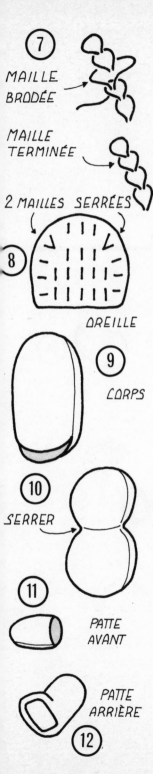

7 MAILLE BRODÉE

MAILLE TERMINÉE

2 MAILLES SERRÉES

8

OREILLE

9

CORPS

10 SERRER

11

PATTE AVANT

PATTE ARRIÈRE

12

● Couper le fil, l'enfiler dans la grosse aiguille et, en piquant comme le montre le croquis 7, refaire une maille dans la première maille (comme on broderait un point de chaînette). Rentrer le fil sous quelques mailles, couper.

LES OREILLES

● Pour chaque oreille monter 5 mailles en laine noire.

● 1er et 2ème rangs: 5 demi-brides.

● 3ème rang: pas de maille en l'air pour commencer, sauter 1 maille, 1 maille serrée, 2 demi-brides, 1 maille serrée, arrêter.

● Entourer l'oreille par un rang de mailles serrées, en faisant comme le montre le croquis 8, 2 mailles serrées aux angles, pour avoir une forme bien ronde.

MONTAGE ET BOURRAGE

● Rentrer les bouts dans tous les morceaux.

● Coudre ensemble les 2 côtés du corps de façon que les augmentations et diminutions coïncident, et laisser le bas ouvert (9).

● Bourrer fermement. Fermer par un point de surjet en bas.

● Dans le 10ème rang à partir du bas, passer un fil de laine blanche à travers les mailles, tout autour du cou. Serrer (10).

● Coudre les pattes avant au point de surjet (11). Les bourrer et les coudre bien en place après les avoir bâties.

● Faire la couture du dessus des pattes arrière. Les bâtir sur les semelles et les coudre au point de surjet ssans serrer (12). Retourner les pattes, les bourrer. Les bâtir en place et les coudre au point de surjet, sans resserrer l'ouverture.

● Découper dans la feutrine blanche et marron les yeux et les pupilles (13). Les coudre (ou les coller) bien au centre des ronds noirs.

Coudre les ronds noirs en place (de préférence après avoir bâti) avec un point de surjet invisible à la laine noire.

● Coudre en place les 2 oreilles.

● Fermer le petit nez (14), le bourrer légèrement et le coudre en place. Broder quelques points en laine noire pour faire le bout du nez. Marquer la bouche par 2 points de laine.

● Orner le cou d'une chaîne ou d'un ruban.

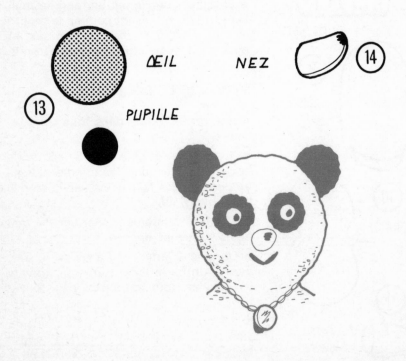

ŒIL   NEZ

PUPILLE

CANAILLOU LE PETIT CHAT

C'est un chat-coussin, bourré souplement, et qui prend toutes les formes, toutes les attitudes. Il est surtout drôle dans l'angle du siège d'un fauteuil, queue pendante et air béat.

Si vous désirez en faire un rouleau anti-courants d'air pour un bas de porte, aucune difficulté: commencez le corps comme indiqué, mais arrêtez les augmentations au 10ème rang (soit à 37 mailles) et donnez-lui la longueur réclamée par votre porte. Pour le reste, les explications sont valables.

MATÉRIEL

● Nous avons utilisé de la laine sport, tricotée avec des aiguilles n° 4 1/2 ou 5. Il faut 2 pelotes de laine violette et 2 pelotes de vieux rose.

● Un peu de feutrine jaune et noire.

● Un beau ruban de satin mauve, large de 2,5 cm.

● Une aiguille à laine.

RÉALISATION DES PIÈCES

Le chat se compose de 10 parties: le corps, 2 pattes avant, la queue, 2 oreilles roses, 2 oreilles violettes, 1 devant de tête rose, 1 dos de tête violet.

Il se tricote tout au point de jersey.

LE CORPS

Changer de couleur de laine tous les 10 rangs.

● Monter 7 mailles en laine rose.

● 1er rang: à l'envers.

● 2ème rang: 1 maille endroit * 1 maille d'augmentation prise dans le brin droit sous la seconde maille (voir croquis page 8) tricoter ensuite la maille normalement * 6 fois. On a 13 mailles.

● 3ème rang et tous les rangs impairs: à l'envers sans augmentation.

● 4ème rang: 1 maille endroit * 1 maille d'augmentation, 2 mailles endroit, 1 augmentation, 9 mailles endroit * 6 fois, soit 61 mailles en tout.

● 6ème rang: 1 maille endroit * 1 augmentation, 3 mailles endroit * 6 fois. On a 25 mailles.

● 8ème rang: 1 maille endroit * 1 augmentation, 4 mailles endroit * 6 fois. On a 31 mailles.

● 10ème rang: 1 maille endroit * 1 augmentation, 5 mailles endroit * 6 fois. On a 37 mailles.

● Changer de laine.

● Du 11ème au 16ème rangs: continuer de la même façon, soit 1 maille endroit, 1 augmentation et 1 maille endroit de plus qu'au rang précédent, jusqu'à avoir, au 16ème rang, 1 maille endroit * 1 augmentation, 9 mailles endroit * 6 fois, soit 61 mailles en tout.

● Continuer tout droit, sans oublier de changer la laine tous les 10 rangs.

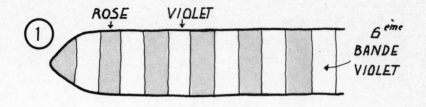

ROSE VIOLET 6ᵉᵐᵉ BANDE VIOLET

- Finir la bande violette faire encore 6 bandes roses, 5 bandes violettes.

- A la 6ème bande violette (1) faire 2 rangs normalement au point de jersey, puis:

- 3ème rang: 1 maille * 8 mailles, 2 mailles ensemble * 6 fois.

- 4ème rang: 1 maille * 7 mailles, 2 mailles ensemble * 6 fois.

- 5ème rang: 1 maille * 6 mailles, 2 mailles ensemble * 6 fois, et continuer de diminuer ainsi chaque rang, jusqu'à ne plus avoir que 13 mailles sur l'aiguille.

- Faire alors 1 maille * 2 mailles ensemble * 6 fois et au rang suivant rabattre les 7 mailles.

LES PATTES AVANT

Voir croquis 2.

Changer de couleur de laine tous les 5 rangs.

- Monter 25 mailles en rose.

- 1er rang: à l'envers.

- Tricoter tout droit 3 bandes roses et 3 bandes violettes.

- A la 4ème bande rose, faire 2 rangs normalement, puis:

- 3ème rang: * 4 mailles, 2 mailles ensemble * 4 fois. Finir par 1 maille.

- 4ème rang: 1 maille * 2 mailles ensemble, 3 mailles * 4 fois.

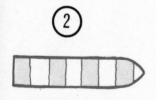

PATTE

- 5ème rang: * 2 mailles, 2 mailles ensemble * 4 fois. Finir par 1 maille.

- Changer de laine.

- 6ème rang: 1 maille * 2 mailles ensemble, 1 maille * 4 fois.

- 7ème rang: Prendre les mailles 2 par 2.

- Arrêter en passant le fil dans toutes les mailles.

Faire une autre patte semblable.

LA QUEUE

Voir croquis 3.

- Monter 18 mailles en violet.

- Tricoter tout droit en changeant de couleur tous les 5 rangs. Faire 8 bandes violettes, 8 bandes roses.

- A la 9ème bande violette, faire 2 rangs jersey, puis

- 3ème rang: * 4 mailles, 2 mailles ensemble * 3 fois.

- 4ème rang: * 2 mailles ensemble, 3 mailles * 3 fois.

- 5ème rang: * 2 mailles, 2 mailles ensemble * 3 fois.

- 6ème rang: ne pas changer de laine.
* 2 mailles ensemble, 1 maille * 3 fois.

- 7ème rang: prendre les mailles 2 par 2. Arrêter en passant le fil dans toutes les mailles.

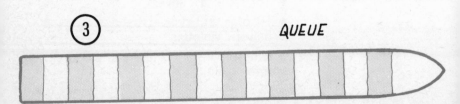

③   *QUEUE*

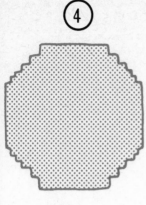

TÊTE

LA TÊTE

Voir croquis 4.

Elle est faite de 2 morceaux semblables, le devant en laine rose et le dos en laine violette.

● Pour le devant, monter 12 mailles en rose.

● 1er rang: à l'envers, 12 mailles, augmenter 3 mailles.

● 2ème rang: 15 mailles, augmenter 3 mailles.

● 3ème rang: 18 mailles, augmenter 2 mailles.

● 4ème rang: 20 mailles, augmenter 2 mailles.

● 5ème rang: 22 mailles, augmenter 2 mailles.

● 6ème rang: 24 mailles, augmenter 2 mailles.

● 7ème rang: 26 mailles, augmenter 1 maille.

● 8ème rang: 27 mailles, augmenter 1 maille.

● 9ème rang: 28 mailles, augmenter 1 maille.

● 10ème rang: 29 mailles, augmenter 1 maille.

● 11ème rang: 30 mailles.

● Continuer tout droit pendant 15 rangs.

● 27ème rang: 2 mailles ensemble, 28 mailles.

● 28ème rang: 2 mailles ensemble, 27 mailles.

● 29ème rang: 2 mailles ensemble, 26 mailles.

● 30ème rang: 2 mailles ensemble, 25 mailles.

● 31ème rang: diminuer 2 mailles, 24 mailles.

- 32ème rang: diminuer 2 mailles, 22 mailles.
- 33ème rang: diminuer 2 mailles, 20 mailles.
- 34ème rang: diminuer 2 mailles, 18 mailles.
- 35ème rang: diminuer 3 mailles, 15 mailles.
- 36ème rang: diminuer 3 mailles, 12 mailles. Arrêter les 12 mailles.

Faire la partie **dos** exactement pareille mais en laine violette.

LES OREILLES

Voir croquis 5.

Il faut préparer 4 formes semblables: 2 en laine rose et 2 en laine violette.

- Monter 14 mailles en laine rose, par exemple.
- 1er rang: 14 mailles à l'envers.
- 2ème rang: 14 mailles à l'endroit.
- Commencer ensuite chaque rang par 2 mailles ensemble.

Quand il ne reste plus que 4 mailles, tricoter 2 fois 2 mailles ensemble.

- Au rang suivant faire 2 mailles ensemble et passer le fil dans cette dernière maille.

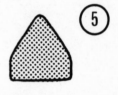

OREILLE

MONTAGE ET BOURRAGE

LE CORPS

- Assembler sur l'envers en laissant, comme le montre le croquis 6, une ouverture de 12 cm. Fermer chaque

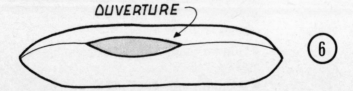

OUVERTURE

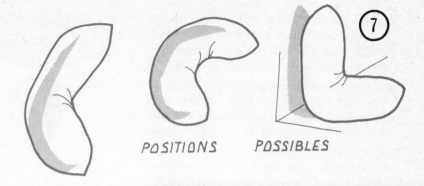

POSITIONS   POSSIBLES

bande par un surjet avec la laine de sa couleur. Retourner.

● Bourrer de façon que le corps reste souple pour pouvoir prendre toutes les positions: en rond, à angle droit, etc. (7).

● Lorsque le bourrage des 2 extrémités est bon, finir de fermer le corps en cousant bande par bande. Bien répartir le bourrage.

LA QUEUE

● Coudre sur toute la longueur par un surjet sur l'envers. Retourner sur l'endroit.

● Il y a 2 possibilités pour bourrer:

soit enfoncer le bourrage en le tassant avec une longue aiguille à tricoter,

soit retourner la partie supérieure sur l'endroit comme pour faire un revers (8) jusqu'à obtenir une dizaine de centimètres à l'intérieur de cette sorte de tube (9), puis bourrer et tirer au fur et à mesure l'extrémité A pour obtenir le bourrage complet de la queue.

De toute façon, bien répartir le bourrage.

● Coudre la queue en place sur l'extrémité la plus pointue du corps.

ENVERS

ENDROIT

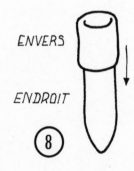

(8)

10 cm

A

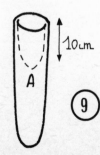

(9)

LA TÊTE

● Les 2 côtés étant posés bien exactement l'un sur l'autre en se repérant sur
les augmentations et diminutions, coudre le tour de la tête sur l'envers en
laissant une ouverture sur le côté.

● Bourrer en répartissant bien le bourrage sur l'arrondi du tout: la tête doit
demeurer assez plate. Bourrer un peu
plus fermement que le corps. Fermer
par un surjet discret.

● Découper les yeux et les pupilles
dans la feutrine (10). Les coller ou les
coudre.

● Broder le nez, la bouche et les moustaches avec la laine violette. Ne pas oublier les raies sur le front (11).

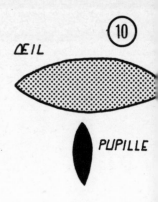

LES OREILLES

● Poser endroit contre endroit 1 oreille
rose et oreille violette (se repérer sur
les diminutions). Coudre au point de
surjet sur la partie arrondie.

● Retourner. Si les oreilles ne parais-
sent pas assez aplaties, repasser avec
un fer tiède.

● Coudre en place avec un point de
surjet violet pour le devant, rose pour le
dos de la tête.

MONTAGE DE LA TÊTE SUR LE CORPS

● Coudre la tête penchée sur le corps,
sur une longueur de 8 cm et selon un
ovale, comme le montre le croquis 12.

● Avec cette seule couture, la tête ne
se tient pas. Il faut donc prendre une
longue aiguillée de laine rose, piquer le
bord de la tête en A (cacher le noeud),
et passer à travers le corps (le bourrage
se traverse sans difficulté), sortir en B,
passer sous le tricot, ressortir en C (soit

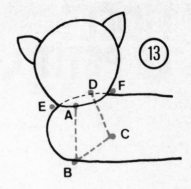

6 cm environ plus loin) et piquer dans le bord de la tête en D. Faire de même en E et F, tout cela sans tirer, en tendant juste la laine (13).

LES PATTES

● Coudre les pattes tout du long sur l'envers par un point de surjet. Retourner.

● Bourrer.

● Bâtir en place, puis coudre en laine rose avec un point de surjet (14).

Terminer le chat en lui nouant un beau collier de ruban mauve.

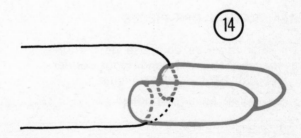

FIDÈLE
LE PETIT CHIEN

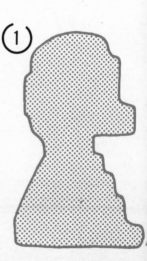

N'est-il pas attendrissant, ce jeune chien attentif, prêt à jouer avec un petit maître, ou à monter la garde au milieu des coussins? Il est très facile à réaliser.

Pour le rendre plus drôle, offrez-lui un vrai collier (pour chat, c'est la taille exacte!) et une laisse.

Fais bonne garde, Fidèle!

MATÉRIEL

● Il vous faut de la grosse laine sport, utilisable avec un crochet n° 7 ou 6 ½: 2 pelotes en beige, 1 pelote et demie en blanc.

● Un peu de feutrine noire et blanche.

● Un peu de laine noire.

RÉALISATION DES PIÈCES

Le petit chien se compose de 6 morceaux: 2 côtés, une bande pour donner l'épaisseur, 2 oreilles, une queue.

Il se tricote en demi-brides.

LES CÔTÉS

Voir croquis 1.

● Pour un côté monter 14 mailles chaînette avec la laine beige.

● 1er et 2ème rangs: 14 demi-brides.

CÔTÉ

● 3ème rang: 12 demi-brides, laisser 2 mailles.

● 4ème rang: 11 demi-brides, laisser 1 maille.

● 5ème rang: 10 demi-brides, laisser 1 maille.

● 6ème rang: 8 demi-brides, laisser 2 mailles.

● 7ème rang: 7 demi-brides, laisser 1 maille.

● 8ème rang: faire la maille en l'air normale, sauter 1 maille, 5 demi-brides, laisser 1 maille.

● 9ème rang: 5 demi-brides, 5 mailles en l'air pour augmenter.

● 10ème rang: 10 demi-brides, 2 mailles en l'air.

● 11ème rang: 12 demi-brides.

● 12ème rang: 12 demi-brides, 1 maille en l'air.

● 13ème rang: 11 demi-brides, laisser 2 mailles.

● 14ème et 15ème rangs: 11 demi-brides.

● 16ème rang: 10 demi-brides, laisser 1 maille.

● 17ème rang: 9 demi-brides, laisser 1 maille.

● 18ème rang: pas de maille en l'air, 1 maille serrée, 6 demi-brides, 1 maille serrée, arrêter.

Faire l'autre côté semblable.

LA BANDE

Voir croquis 2 page 64.

La bande se commence par le bas du dos dessous.

● Monter 5 mailles chaînette en **laine blanche.**

● 1er rang: 5 demi-brides, 2 mailles en l'air.

DÉPART

- 2ème rang: 7 demi-brides, 2 mailles en l'air.
- 3ème rang: 9 demi-brides, 1 maille en l'air.
- 4ème rang: 10 demi-brides, 1 maille en l'air.
- Du 5ème au 12ème rangs: 11 demi-brides.
- 13ème rang: 10 demi-brides, laisser 1 maille.
- Du 14ème au 18ème rangs: laisser 1 maille en fin de chaque rang. Il reste alors 5 mailles. Nous arrivons au dessous du cou.
- 19ème et 20ème rangs: laisser 1 maille en fin de rang, c'est le dessous du museau (a): il reste 3 mailles.
- Prendre la **laine beige.** Faire 3 demi--brides pendant 4 rangs.
- 5ème rang: 3 demi-brides, 1 maille en l'air.
- 6ème rang: 4 demi-brides, 1 maille en l'air.
- Pendant les 26 rangs suivants faire 5 demi-brides, tout droit. Arrêter.

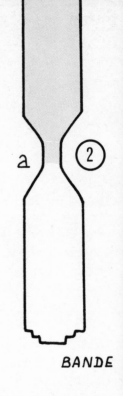

BANDE

LES OREILLES

Voir croquis 3.

- Pour chaque oreille monter 6 mailles en laine blanche.
- 1er rang: 6 demi-brides, 1 maille en l'air.
- 2ème, 3ème et 4ème rangs: ajouter 1 maille en l'air à la fin de chaque rang. On a alors 10 demi-brides.
- 5ème, 6ème et 7ème rangs: 10 demi-brides.
- 8ème rang: 9 demi-brides, laisser 1 maille.
- 9ème rang: 8 demi-brides, laisser 1 maille.

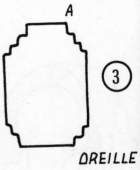

OREILLE

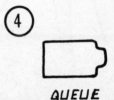

QUEUE

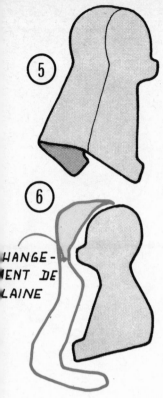

● 10ème rang: 1 maille serrée, 5 de-mi-brides, 1 maille serrée.

Faire une seconde oreille semblable.

Rentrer les bouts de laine, accrocher la laine blanche à l'angle A de l'oreille. Faire le tour de l'oreille en mailles ser-rées, souplement, sans resserrer le tra-vail.

CHANGE-
MENT DE
LAINE

LA QUEUE

Voir croquis 4.

● Monter 4 mailles en laine blanche.

● 1er rang: 4 demi-brides.

● 2ème rang: 4 demi-brides, 2 demi-brides dans la dernière maille.

● 3ème rang: sauter 1 maille, 4 demi-brides.

MONTAGE ET BOURRAGE

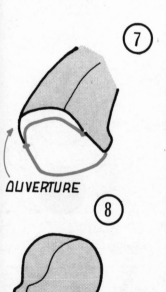

OUVERTURE

LAINE

● Poser la bande contre un côté, en commençant par le bas du dos, épin-gler (5). Epingler de même le nez, en vous repérant sur le changement de laine dans la bande, qui a lieu juste en-dessous du nez (6). Epingler aussi les pattes. Le dessous doit se trouver placé.

● Bâtir complètement. Coudre au point de surjet, à partir du bas du dos, le dos, la tête, le devant, et arrêter à la moitié du dessous (7). Défaire le bâti.

● Faire de même pour l'autre côté. Ne pas resserrer les surjets.

● Bourrer en faisant la tête bien ronde et en ressortant bien le petit nez. Fer-mer par un surjet sans serrer.

● Passer un fil de laine beige derrière le cou, à travers les mailles de façon qu'on ne le voie pas, pour resserrer le cou (8).

● Si le devant des pattes paraît s'être un peu élargi au bourrage, passer un fil de laine blanche comme le montre le croquis 9 et l'arrêter en resserrant. Ce fil sera invisible à travers les mailles.

● Coudre la queue avec de la laine blanche au centre de la base du dos. Respecter sa forme retroussée (10).

● Prendre une oreille. La mettre à l'envers (c'est-à-dire l'endroit de la chaînette du bord à l'intérieur) et la poser sur le crâne un rang avant la bande (11). La coudre en fronçant légèrement pour donner la forme arrondie.

Coudre la seconde oreille en vis-à-vis.

● Découper les yeux de feutrine (12). Les coudre ou les coller.

● Prendre une aiguillée de laine noire, broder le nez et la bouche (13).

● Mettre le collier. Si Fidèle s'en contente, lui découper un collier de feutrine de couleur vive et y accrocher un grelot.

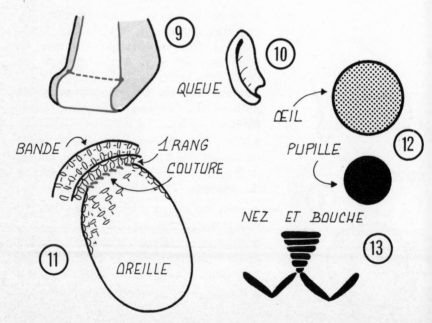

⑨

QUEUE ⑩

ŒIL

PUPILLE ⑫

BANDE ↗   1 RANG
              COUTURE

NEZ ET BOUCHE

⑪   OREILLE   ⑬

NIGER
LE CROCODILE

Niger est très gros, sympathique et placide. Il peut être coussin ou jouet: il servira de monture au tout-petit, ou de décor sur le divan ou dans le coin triste d'une pièce. Il peut se rendre utile en servant de porte-pyjama!

Niger est réalisé en très grosse laine ou, comme ici, en laine «sport» employée en double (la laine «sport» donne un choix beaucoup plus grand de nuances). Nous avons utilisé un crochet n° 6, ce qui donne un travail assez serré, utile pour un animal de grande taille.

Le bourrage peut être formé de déchets de mousse moins fins.

MATERIEL

● Il vous faut 5 pelotes de laine vert clair pour le ventre, 5 pelotes de laine vert moyen pour le dos, 1 pelote de laine vert foncé pour les pattes, 1 pelote de laine rouge vif et un peu de laine blanche de même grosseur.

● Des restes de laine de couleurs vives (orange, jaune paille, violet, rouge cerise, vert pâle, jaune moutarde, rose pâle, vert vif, bleu pâle, brun clair, jaune d'or, bleu vif) de préférence de même grosseur. Ici, il s'agit de laine fine crochetée avec un crochet n° 3.

● 2 balles de ping-pong.

● Un crayon-feutre très noir.

● Une grosse aiguille.

RÉALISATION DES PIÈCES

Le crocodile se compose de 13 parties, plus les 12 écailles: le ventre, le dos, la mâchoire, les 2 yeux, les 4 pattes et les 4 dessous de pattes.

Il se crochète en demi-brides, sauf les tours des yeux qui sont en brides.

LE DOS

Voir croquis 1.

● Monter 20 mailles en vert foncé.

● 1er rang: 20 demi-brides, augmenter de 5 mailles en l'air.

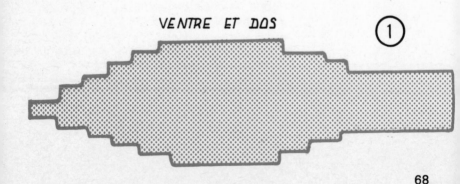

VENTRE ET DOS ①

- 2ème rang: 25 demi-brides, 7 mailles en l'air.

- 3ème rang: 32 demi-brides, 7 mailles en l'air.

- 4ème rang: 39 demi-brides, 5 mailles en l'air.

- 5ème rang: 44 demi-brides, 23 mailles en l'air.

- 6ème rang: 67 demi-brides, 5 mailles en l'air.

- 7ème rang: 72 demi-brides, 2 mailles en l'air.

- 8ème rang: 74 demi-brides, 5 mailles en l'air.

- 9ème rang: 79 demi-brides.

- 10ème rang: 79 demi-brides, 6 mailles en l'air.

- 11ème rang: 85 demi-brides.

- 12ème rang: 85 demi-brides, 7 mailles en l'air.

- 13ème, 14ème et 15ème rangs: 92 demi-brides.

- 16ème rang: 85 demi-brides, laisser 7 mailles.

- 17ème rang: 85 demi-brides.

- 18ème rang: 79 demi-brides, laisser 6 mailles.

- 19ème rang: 79 demi-brides.

- 20ème rang: 74 demi-brides, laisser 5 mailles.

- 21ème rang: 72 demi-brides, laisser 2 mailles.

- 22ème rang: 67 demi-brides, laisser 5 mailles.

- 23ème rang: 44 demi-brides, laisser 23 mailles.

- 24ème rang: 39 demi-brides, laisser 5 mailles.

- 25ème rang: 32 demi-brides, laisser 7 mailles.

- 26ème rang: 27 demi-brides, laisser 5 mailles.

- 27ème rang: 20 demi-brides, laisser 7 mailles, arrêter.

LE VENTRE

Le ventre est exactement semblable au dos, mais exécuté en laine vert clair.

LA MÂCHOIRE

Voir croquis 2.

- Monter 32 mailles en laine rouge.

- Faire 11 rangs en demi-brides, arrêter.

- Attacher la laine blanche au milieu d'un grand côté et faire le tour du rectangle en demi-brides:

Pour les grands côtés, aucune difficulté: il y a autant de demi-brides que de mailles. Autrement dit, on pique le crochet dans chaque maille.

Pour les petits côtés, il y a moins de précision, mais la denture d'un crocodile est, par nature, irrégulière. Faire, aussi régulièrement que possible, 12 à 15 dents par petit côté.

Dans chaque angle, faire 3 mailles dans la même.

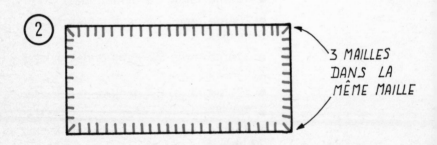

3 MAILLES DANS LA MÊME MAILLE

- Fermer par 1 maille coulée dans la première maille, puis sortir la laine par la maille, enfiler le fil de laine sur la

70

grosse aiguille, passer sous la maille suivante, et piquer de nouveau dans la première maille (voir croquis page 51): on brode ainsi une maille comme au point de chaînette.

Rentrer le bout de laine sous quelques mailles, couper.

LES PATTES

Voir croquis 3.

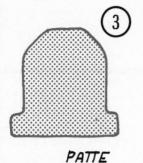

PATTE

● Monter 16 mailles en laine vert foncé.

● 1er rang: 16 demi-brides.

● 2ème rang: ne pas faire de maille en l'air pour commencer, mais directement 2 mailles coulées, puis 1 maille en l'air, 12 demi-brides, laisser 2 mailles.

● du 3ème au 6ème rangs: 12 demi-brides.

DESSOUS DE PATTE

● 7ème rang: 1 maille en l'air pour commencer, sauter 1 maille, 3 demi-brides, sauter 1 maille, 2 demi-brides, sauter 1 maille, 3 demi-brides, laisser 1 maille, arrêter. On a 8 mailles.

Pour faire le **dessous de la patte** monter 6 mailles en laine vert clair et faire 2 rangs de demi-brides (4).

Faire les 4 pattes semblables.

LES YEUX

Voir croquis 5.

ŒIL

● Monter 4 mailles en vert clair. Fermer par 1 maille coulée dans la première de ces 4 mailles.

● 1er rang: 2 mailles en l'air, 11 brides dans l'anneau formé par les 4 mailles du début.

● 2ème rang: 2 mailles en l'air, 11 brides.

● Fermer par 1 maille coulée dans la 2ème des mailles en l'air du début, puis faire une maille chaînette à l'aiguille, comme nous l'avons fait pour terminer la mâchoire.

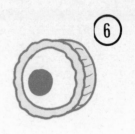

Mettre la balle de ping-pong dans cette sorte de coupe: elle doit forcer un peu. Si besoin est, passer un fil de laine dans la chaînette extérieure du travail et resserrer (6).

Avec le crayon-feutre dessiner une pupille sur chaque balle.

La balle peut tourner dans son habillement de crochet, et il est possible de changer ainsi la direction du regard de l'animal.

LES ÉCAILLES

Ce sont des carrés style patchwork d'environ 6 cm de côté (7). Chacun est fait de 3 laines de couleurs vives, se mariant bien entre elles. De préférence, varier les tons clairs et foncés, sans employer des tons clairs ou des tons foncés seulement pour un seul carré.

Après chaque rang, rentrer les bouts de laine et faire une maille chaînette à l'aiguille pour terminer le rang.

● Monter 5 mailles avec la laine du centre. Fermer par 1 maille coulée dans la première des 5 mailles en l'air (A).

● 1er rang: 3 mailles en l'air pour remplacer la première bride, 2 brides dans l'anneau de départ, 1 maille en l'air, * 3 brides, 1 maille en l'air * 3 fois. Fermer par 1 maille coulée, 1 maille chaînette brodée (B).

● 2ème rang: Accrocher la laine en C. 3 mailles en l'air, pour remplacer la première bride, 2 brides, 1 maille en l'air, 3 brides, dans l'angle, 1 maille en l'air * 3 brides, 1 maille en l'air, 3 brides, 1 maille en l'air dans l'autre angle *. Reprendre à * pour chaque angle. Fermer.

● 3ème rang: Accrocher la laine en D.

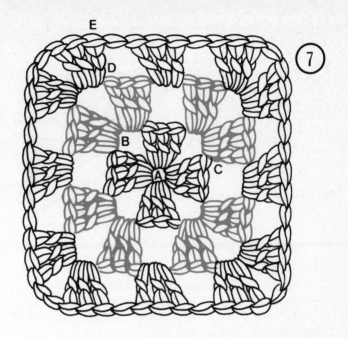

3 mailles en l'air, pour remplacer la première bride, 2 brides, 1 maille en l'air, 3
brides, 1 maille en l'air dans l'angle * 3
brides dans l'espace suivant, 1 maille
en l'air, 3 brides, 1 maille en l'air, 3 brides, 1 maille en l'air dans l'angle * 3
fois (E). Fermer par 1 maille coulée, 1
maille chaînette à l'aiguille.

Faire 12 écailles semblables, en variant
bien les couleurs.

MONTAGE ET BOURRAGE

● Choisir pour le ventre et le dos un endroit et un envers. Rentrer tous les
brins sur l'envers.

● Coudre les coins de la bouche (qui
formeront les «narines») sur l'envers par
un petit surjet en laine de même couleur
(8 page 74).

● Poser les 2 morceaux endroit contre
endroit.

● Plier la partie «bouche» en 2, envers
contre envers. La poser à l'intérieur des

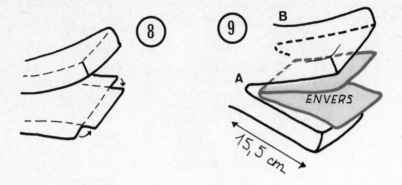

2 mâchoires (9). Bâtir. Les 2 «commissures des lèvres» (A et B) doivent être exactement à la même distance des angles (environ 15,5 cm).

● Coudre au point de surjet régulier, sans serrer, en laine vert foncé sur le dessus, clair dessous.

● Bâtir le dos sur le ventre. Les diminutions et augmentations (qui doivent coïncider) forment des «escaliers» qu'il faut éliminer. Regardez donc bien le croquis 10 avant de coudre: utilisez le surjet ou le point arrière (sans tirer) selon l'endroit. Laisser une ouverture sur un côté, comme le montre le croquis.

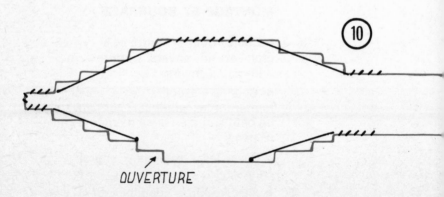

OUVERTURE

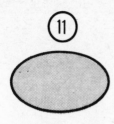

11

COUPE DU
CORPS

● Retourner. Dégager soigneusement les angles de la bouche («narines»).

● Bourrer en insistant sur les angles de la bouche. Le bourrage doit être ferme, sans excès.

Ne pas chercher à arrondir le dessus ou le dessous du museau: ils doivent être plats.

De même le corps doit être relativement plat. Une coupe donnerait un ovale aplati (11).

● Une fois le bourrage terminé fermer l'ouverture avec un point de surjet en laine vert moyen. Rentrer les diminutions pour avoir une ligne continue, comme lors de la précédente couture.

● Coudre les pattes, en laissant une ouverture en haut. Les monter sur leur semelle. Les bourrer et les fermer (12).

Les placer de chaque côté, devant à 4 cm de la partie droite, derrière juste après la partie droite de la couture des côtés. Veiller à placer les pattes bien exactement en vis-à-vis (13).

Bâtir puis coudre à points de surjet, en rond, comme le montre le croquis 14. Si les pattes ne touchent pas terre, cela n'a pas d'importance.

12

PATTES

13

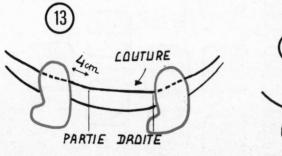

4cm   COUTURE

PARTIE DROITE

14

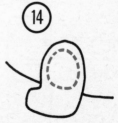

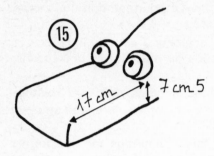

17 cm

7 cm 5

● Coudre les yeux bien en place, aux distances que montre le croquis 15. Régler le regard.

● Bâtir les écailles. Celles du centre sont à cheval sur le 14ème rang (qui est le rang central). Les espacer de 1,5 cm environ (16).

Coudre à points perdus dans la chaînette du dernier rang, avec de la laine de la couleur de ce dernier rang.

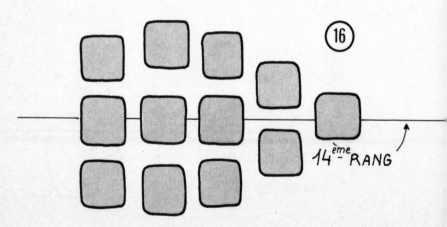

14ème RANG

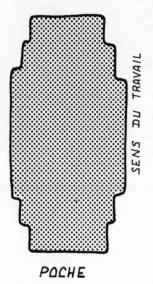

POCHE

SENS DU TRAVAIL

Variante pour porte-pyjama

Pour cette variante, il est plus facile de supprimer les pattes du crocodile.

● Réaliser le crocodile exactement de la même manière, mais en bourrant seulement légèrement la partie centrale.

● Crocheter une poche pour le ventre, en laine vert clair (il en faudra 2 pelotes en plus):

Du 1er au 5ème rangs: crocheter exactement de la même manière que le dos.

5ème rang: 44 demi-brides, 5 mailles en l'air.

Crocheter ensuite 49 demi-brides tout droit jusqu'au 23ème rang.

Au 23ème rang: 44 demi-brides, laisser 5 mailles, puis continuer comme pour le dos.

● Coudre cette partie sous le ventre (en rentrant les diminutions et augmentations) avec un point de surjet en laine vert clair.

Laisser un côté ouvert, y poser une fermeture à glissière ou une bande Velcro.

L'introduction du pyjama redonnera de la rondeur au ventre de Niger.

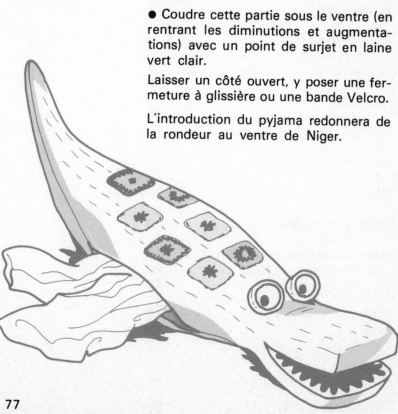

TABLE DES MATIÈRES

Imprimé en France
Imprimerie Pollina, 85400 Luçon, N° 3281
N° d'édition F 80114 - Dépôt légal 2ᵉ trimestre 1977
ISBN 2 215 00148 8